Les secrets
de la Méga-Évolution

© Hachette Livre, 2015 pour la présente édition. Tous droits réservés.
Novélisation : Natacha Godeau.
Conception graphique : Valérie Gibert & Philippe Sedletzki.

Hachette Livre, 58, rue Jean Blenzen, 92178 Vanves Cedex

POKÉMON

LA SÉRIE

XY

Les secrets
de la Méga-Évolution

hachette
JEUNESSE

Pikachu

Ce Pokémon de type Électrik est extraordinaire !
Pikachu a été le premier Pokémon de Sacha.
Quoi qu'il arrive, il fait toujours confiance à son
Dresseur et se donne à fond lors des combats.
D'ailleurs, il ne quitte jamais Sacha :
on peut même dire que c'est
son meilleur ami !

Sacha

Sacha vient de Bourg Palette,
un petit village de la région
de Kanto. Il parcourt
le monde pour accomplir
son rêve : devenir
un Maître Pokémon.
Mais avant ça,
il doit s'entraîner
à devenir le meilleur Dresseur ! Et il est sur la bonne voie :
c'est un garçon tellement gentil que tout le monde veut
devenir son ami, même les Pokémon qu'il rencontre !

CLem

La petite sœur de Lem n'a pas la langue dans sa poche et agit parfois sans réfléchir ! Même si elle n'a pas l'âge d'être Dresseuse, elle suit son frère partout. Elle trouve tous les Pokémon mignons et adore les caresser !

Lem

Timide et intelligent, Lem est féru d'électronique. D'ailleurs, il met sans cesse au point de nouvelles inventions… souvent défectueuses ! C'est aussi un excellent Dresseur, qui aime passer du temps avec ses Pokémon.

Serena

Serena s'entraîne pour marcher sur les traces de sa mère, une ancienne championne de course à dos de Rhinocorne. Mais elle n'est pas vraiment passionnée par ce sport. Alors, elle décide de suivre Sacha dans son aventure, pour trouver sa propre vocation !

Dedenne

Lem a capturé Dedenne pour sa sœur. En attendant de devenir Dresseuse, Clem le surveille et le chouchoute. Ce Pokémon de type Électrik et Fée peut communiquer à distance grâce à ses moustaches.

Marisson

Le fidèle compagnon de Lem est un Pokémon de type Plante, aussi coquin que gourmand ! Il adore les macarons de Serena et pourrait en manger toute la journée. Lorsqu'il rassemble ses forces, ses piquants souples deviennent si durs et acérés qu'ils pourraient transpercer un rocher.

Feunnec

Ce Pokémon de type Feu est le premier Pokémon de Serena. Il fait toujours de son mieux pour aider sa Dresseuse et n'a pas peur de mettre à l'épreuve ses talents de combattant ! Une chaleur brûlante émane de ses oreilles, ce qui lui permet de garder ses adversaires à distance.

La Team Rocket

Jessie, James et le Pokémon parlant Miaouss forment
un trio diabolique. Et ils sont plus déterminés que jamais
à capturer Pikachu ! Cette fois, leur chef, Giovanni,
leur a donné la mission de conquérir Kalos.
Et pour y parvenir, la Team Rocket doit attraper
le plus de Pokémon possible…

Chapitre 1

L'enlèvement

Le soleil resplendit, aujourd'hui, sur la région de Kalos. Le voyage de Sacha, Lem, Clem et Serena, en route pour l'Arène de Yantreizh, n'en est que plus agréable. Ils s'amusent à courir sur le chemin, lorsqu'une fille en rollers surgit des fourrés. Elle porte une longue queue-de-cheval blonde et paraît très sûre d'elle...

— Ah ! Ah ! s'exclame-t-elle devant Sacha et Pikachu, son Pokémon Souris. Toi, tu es un Dresseur ! Tu seras mon défi numéro 99 !

— Tu es une Dresseuse ? s'étonne Lem.

Elle acquiesce.

— Oui, je m'appelle Cornélia. Et voici Lucario, mon coé-quipier !

Un grand Pokémon ressemblant à un loup apparaît à ses côtés. Sacha consulte son Pokédex, l'encyclopédie électronique des Pokémon :

— Lucario, le Pokémon Aura, est la forme évoluée de Riolu. Il sait lire dans les pensées. Il peut aussi anticiper les attaques d'un adversaire en détectant son Aura.

Sacha sourit.

— D'accord pour t'affronter, Cornélia. Ce sera un excellent entraînement avant l'Arène de Yantreizh. Mais d'abord,

je me présente : Sacha. Lui, c'est mon fidèle Pikachu. Et eux, mes amis Lem, Clem et Serena. Alors, tu es prête ?

— Prête, Sacha !

Ils se rendent dans un pré, où le duel commence. Pikachu charge avec Vive-Attaque, mais Lucario résiste.

— Utilise Queue de Fer, Pikachu ! ordonne Sacha.

Lucario esquive. Cornélia lui commande de lancer Danse-Lames afin d'augmenter sa puissance, avant d'enchaîner sur Charge-Os. Pikachu a bien du mal à éviter les coups répétés du bâton en os. Lucario est d'une agilité fantastique ! Il envoie alors Poing Boost, et Pikachu s'effondre, vaincu. Pour l'aider à se relever, Cornélia lui donne une Baie Sitrus. Puis elle déclare d'un ton espiègle :

— Bravo, Sacha, tu t'es bien défendu. Mais tu n'es pas encore de taille à battre le Champion d'Arène de Yantreizh... parce que c'est moi !

Tout le monde la dévisage, sidéré. Elle éclate de rire.

— J'ai une faim de loup. Pas vous ?

— Nous aussi, répond Lem. Je prépare le repas, Serena s'occupe du dessert, et on fera plus ample connaissance en déjeunant !

Peu après, le petit groupe mange de bel appétit tout en bavardant. Soudain, Clem remarque la mitaine ornée d'un joyau que porte Cornélia.

— Oh, une Gemme Sésame ! s'exclame la fillette. Comme celle de Dianthéa, le Maître de Kalos ! On l'utilise pour faire méga-évoluer son Pokémon, n'est-ce pas ?

— En effet, acquiesce la Championne. C'est mon grand-père Cornélius qui me l'a confiée. Mais il me manque une Méga-Gemme pour faire méga-évoluer Lucario : une Lucarite. Il y en a une à Cromlac'h. Avant d'aller la chercher, je veux obtenir cent victoires pour renforcer au maximum mon lien avec Lucario. J'en suis à 99, avec celle contre Sacha ; plus qu'une !

Tapis derrière un buisson, Jessie, James et Miaouss ne perdent pas une miette de la conversation.

En entendant que Lucario peut méga-évoluer, ils décident sur-le-champ de le capturer en même temps que Pikachu. Ainsi, la Team Rocket possèdera une armée Pokémon invincible ! Ni une ni deux, ils se déguisent en Consultants en Méga-Évolution et foncent proposer leurs services à

Sacha et à Cornélia. Le seul problème... c'est qu'ils ne connaissent rien à la Méga-Évolution !

— Vous racontez n'importe quoi ! s'énerve Cornélia. Qui êtes-vous ?

— La Team Rocket ! reconnaissent-ils, en abandonnant leurs déguisements.

Et sous les yeux horrifiés de Sacha et de ses amis, ils enferment Lucario et Pikachu dans une cage de verre, puis s'échappent en ballon !

Chapitre 2

À Cromlac'h

—— Vite, rattrapons-les ! s'écrie Cornélia en s'élançant aux trousses des kidnappeurs.

Mais bientôt, le petit groupe s'immobilise au bord d'un ravin.

— On s'est peut-être trompé de chemin, bredouille Serena.

Cornélia secoue la tête.

— Non, Lucario n'est pas loin, je le sens. Suivez-moi !

Pendant ce temps, le ballon de la Team Rocket survole la région montagneuse. Furieux, Pikachu et Lucario attaquent sans discontinuer la paroi en verre blindé de la cage, qui est suspendue sous la nacelle. Leur puissance déstabilise la montgolfière, qui s'écrase contre un pic rocheux. La cage étant brisée, les prisonniers en profitent pour s'échapper... mais Jessie, James et Miaouss leur barrent aussitôt la route ! Par chance, Sacha et ses amis surgissent au même instant.

— Arrêtez, la Team Rocket !

— Et si on réglait ça par un Combat Pokémon, les morveux ?

Sacha se tourne vers Cornélia.

— Qu'en dis-tu ? On pourrait affronter ces bandits en double,

cela te ferait une centième victoire ?

— Bien vu, Sacha !

Elle ôte la tunique qui dissimule sa tenue de Dresseuse, et le combat commence !

— Pitrouille, lance Ball'Ombre ! ordonne Jessie.

— Et toi, Sepiatop, Rafale Psy ! enchaîne James.

Le Pokémon Citrouille et le Pokémon Rotation obéissent. Cornélia réagit sans tarder :

— Charge-Os, Lucario !

Il fait tournoyer son bâton en os pour contrer les attaques. James riposte :

— Sepiatop, utilise Charge !

— Poing Boost, Lucario !

Sepiatop s'effondre. Jessie commande alors une nouvelle fois Ball'Ombre à Pitrouille. Sacha s'interpose :

— À toi de jouer, Pikachu ! Envoie Tonnerre !

Le coup est imparable... et voilà la Team Rocket propulsée à des kilomètres !

— Hourra, on a réussi ! triomphe Sacha. Merci, Lucario ! Merci, Pikachu !

— Super, se réjouit Cornélia. Avec nos cent victoires, Lucario et moi n'avons plus qu'à aller à Cromlac'h !

Curieux de voir méga-évoluer le Pokémon, Lem, Clem, Sacha et Serena réclament en chœur :

— On peut vous accompagner ?

Le voyage se passe sans encombre, et les cinq amis découvrent bientôt Cromlac'h, une petite ville célèbre pour les menhirs qui l'entourent et se dressent dans ses rues. D'innombrables magasins bordent les rues, et dans toutes les vitrines, de sublimes pierres d'évolution scintillent.

— Tu sais où trouver ta Lucarite, Cornélia ? demande Sacha.

— Non, il va falloir chercher !

Le groupe se sépare afin de faire le tour des

boutiques... Hélas, tous reviennent bredouilles !

— La Lucarite est une Méga-Gemme extrêmement rare, regrette Lem.

— Mais je ne vais pas abandonner si près du but ! s'entête Cornélia.

À ces mots, un homme barbu approche.

— Excusez-moi de vous déranger... Je suis le photographe Stanislas. Est-ce que vous aimeriez poser, en souvenir de votre visite à Cromlac'h ?

— Bonne idée ! accepte Clem, toujours enthousiaste.

Stanislas prend son cliché, puis Lem tente le tout pour le tout en l'interrogeant :

— Nous sommes à la recherche d'une Lucarite. Savez-vous où nous pourrions en trouver ?

— Je ne connais pas cette pierre, admet le photographe.

Mais une grotte dans la carrière de la montagne abrite des pierres d'évolution très rares. Je peux vous montrer où elle se trouve. Seulement, on raconte que ceux qui s'y aventurent à la légère risquent de terribles ennuis...

Chapitre 3

Dans la grotte

Serena frissonne.

— De terribles ennuis ? souffle-t-elle. Vous croyez que ça vaut le coup ?

— Bien sûr ! s'exclame Cornélia. Si ma Lucarite est là-bas, pas question de l'y laisser !

Et la Dresseuse s'élance vers la montagne, les autres sur ses talons. Ils n'ont pas remarqué que Jessie, James et Miaouss les espionnaient de nouveau ! La Team Rocket n'a plus qu'un but : s'emparer de la Lucarite avant eux ! Ils empruntent donc un raccourci vers la montagne. Et en s'engageant dans le passage qui mène à la grotte, ils prennent soin de masquer l'entrée derrière eux avec deux gros rochers.

— Les morveux ne trouveront jamais le passage ! se réjouit Jessie.

Puis les bandits pénètrent dans la grotte sans se méfier. Progressant dans la pénombre, ils se retrouvent bientôt face à une mystérieuse double porte. Oubliant l'avertissement de Stanislas, ils l'ouvrent... et poussent un cri, paniqués !

Dehors, Sacha et ses amis manquent évidemment l'entrée du passage. Ils continuent tout droit, débouchent sur une impasse et reviennent sur leurs pas, perplexes.

— Je ne comprends pas, la grotte est forcément par là, murmure Lem.

Soudain, Lucario s'immobilise en fixant deux gros rochers d'un air bizarre. Puis il utilise

Poing Boost pour les faire voler en éclats, révélant l'entrée du passage !

— Quelqu'un avait caché l'accès ! s'indigne Clem.

Cornélia hausse les épaules.

— Ce quelqu'un ignorait que Lucario était capable de sentir la Lucarite, même de très loin. Venez, on est sur la bonne voie !

Le Pokémon Aura s'enfonce dans l'obscurité. Lem active le projecteur de son sac à dos robotisé, et le petit groupe marche en toute confiance derrière Lucario. Soudain, des hurlements s'élèvent au bout du tunnel. Serena commence à s'affoler... lorsque Jessie, James et Miaouss passent comme des boulets de canon au-dessus d'eux ! Sacha n'en revient pas.

— La Team Rocket ! Ils voulaient sans doute voler la Lucarite, mais quelque chose les a éjectés de la grotte...

— Stanislas nous avait prévenus du danger, note Cornélia, sans pour autant se laisser intimider.

Le groupe reprend donc son chemin. Lucario les conduit à la mystérieuse double porte. Ils la poussent et débouchent dans une vaste salle aux parois constellées de joyaux bleus. Au fond de la caverne, une pierre splendide flamboie sur un socle...

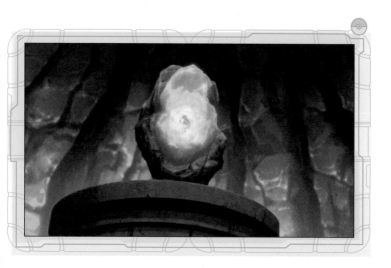

— La Lucarite ! s'extasie Cornélia.

Hélas, au même instant, un immense Braségali se jette sur Lucario.

— Ce doit être le gardien de la Lucarite, devine Sacha. C'est sûrement lui qui a jeté la Team Rocket dehors !

— Je comprends leurs cris, murmure Clem. Ce Pokémon Brasier est redoutable !

— Pas pour moi ! s'exclame Cornélia en tendant son sac à Sacha. Avec Lucario, nous affronterons

36

ce Braségali ! Obtenir une Lucarite, ça n'a pas de prix. Lucario, utilise Poing Boost !

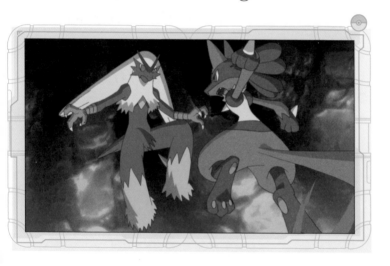

Il bondit, charge l'adversaire qui esquive et charge à son tour. Lucario a du mal à résister...

— Strido-Son ! ordonne Cornélia.

Braségali se bouche les oreilles en grimaçant. Mais cela ne l'empêche pas de riposter avec une telle puissance que le Pokémon Aura, propulsé contre la paroi de la grotte, s'écroule, à demi-sonné. Cornélia fronce les sourcils.

— Relève-toi, Lucario ! Encore un effort, je t'en prie !

Chapitre 4

Méga-Lucario

Lucario se concentre ; il rassemble ses forces... et finit par se redresser !

— Super ! Maintenant, lance Poing Boost ! commande Cornélia.

Bien sûr, Braségali esquive, mais Lucario enchaîne avec Charge-Os. L'adversaire trébuche, et le Pokémon Aura le plaque au sol à l'aide de plusieurs bâtons en os.

— Fantastique ! le félicite Sacha.

Cornélia sourit.

— On a gagné ! Vas-y, termine le combat !

Lucario envoie Poing Boost en se ruant sur Braségali à terre... quand une voix retentit dans la caverne :

— Ça suffit !

Plus personne ne bouge. Une silhouette sort de l'ombre...

— Grand-Père Cornélius ?! s'étrangle Cornélia, stupéfaite.

L'homme brandit une Poké Ball afin de rappeler son Braségali.

— Cornélia, tu remportes la victoire ! déclare-t-il.

— Mais enfin, Grand-Père, qu'est-ce que tu fais là ?!

— Je suis le Maître de la Méga-Évolution, ma chérie.

Il fallait que tu viennes te mesurer à Braségali pour achever l'entraînement de Lucario. Tu as bien mérité ta Lucarite !

La Dresseuse s'empare de la Méga-Gemme flamboyante, puis éclate de rire.

— Hourra, Lucario, on y est arrivé !

Le groupe victorieux regagne Cromlac'h, où Stanislas les attend.

— Je vois que vous avez trouvé ce que vous cherchiez, les enfants. C'est parfait !

Puis, se tournant vers Cornélius :

— Tu peux être fier de ta petite-fille, elle a eu assez de volonté pour atteindre son objectif...

Serena écarquille les yeux.

— Vous vous connaissez, tous les deux ?

— Cornélius et moi sommes de vieux amis, avoue Stanislas.

Il m'a chargé de vous guider sur la voie de la Lucarite !

— Et les terribles ennuis dont vous nous aviez parlés ? interroge Lem.

— Ils n'existent pas, avoue le photographe, malicieux. Je testais simplement votre détermination...

— La Team Rocket a quand même été éjectée de la grotte ! pouffe Clem.

— Le moment est venu de récompenser Lucario, intervient Cornélius.

Cornélia tend la Lucarite à son Pokémon Aura, puis elle

braque sa Gemme Sésame dans sa direction. Des rayons surgissent des deux pierres. Ils s'entrechoquent dans un extraordinaire halo... et Lucario se métamorphose ! Le Pokémon qui se dresse à présent devant eux est réellement impressionnant. Cornélia se jette à son cou.

— Quelle Aura surpuissante, Lucario ! Bravo !

— Avec un tel compagnon, la Championne d'Arène de Yantreizh sera très difficile à vaincre, note Stanislas.

Cornélius approuve d'un sourire.

— Je parie que mon Méga-Lucario est plus fort que le tien, grand-père ! s'exclame Cornélia.

Incapable de résister à la tentation, Sacha propose :

— Et si nous improvisions un combat, Cornélia ? Ce serait un bon entraînement, avant de

nous affronter à l'Arène de Yantreizh, non ?

— Entièrement d'accord ! Lucario, utilise Charge-Os !

— Queue de Fer, Pikachu ! contre Sacha.

Méga-Lucario est si puissant qu'il envoie son bâton en os exploser contre une paroi rocheuse. Sacha décide de jouer sur la vitesse.

— Lance Vive-Attaque, Pikachu !

— Poing Boost ! enchaîne Cornélia.

Pikachu a beau zigzaguer à toute allure, Méga-Lucario fuse toujours en travers de son chemin. Il agit désormais sans recevoir d'ordres, projetant Pikachu contre la roche. Sans pitié, il continue même d'attaquer le Pokémon Souris qui tremble d'épuisement. Sacha fonce le ramasser. Mais Méga-Lucario refuse de cesser le combat... et il charge Sacha !

L'entraînement continue

— **N**on ! hurle Cornélia.

Voyant que le combat dégénère, Cornélius envoie son propre Lucario pour arrêter celui de sa petite-fille. Ce dernier, battu, s'effondre enfin. Il est grand temps d'amener les deux adversaires au Centre Pokémon le plus proche afin qu'ils récupèrent leurs forces !

— Je suis désolée, Sacha, s'excuse Cornélia. J'ai perdu le contrôle de mon Lucario. J'ignore ce qui s'est passé...

— La puissance de la Méga-Évolution est très compliquée à gérer, explique Cornélius. Surtout pour un Lucario à l'Aura sensible et à l'instinct guerrier...

— On va s'améliorer, j'en suis certaine ! affirme la Dresseuse.

Stanislas choisit ce moment pour lui remettre une

manchette sertie de la Luca-
rite. Il l'a fabriquée pour que
Lucario la porte à sa patte.
Cornélia est ravie !

— Dorénavant, Lucario a
tout ce qu'il lui faut ! s'exclame
la Dresseuse, en récupérant
son Pokémon, de nouveau en
pleine forme.

— Sauf la maîtrise de sa nouvelle force, rétorque Cornélius. J'aimerais le tester moi-même... Veux-tu m'affronter ?

Bien sûr, Cornélia accepte volontiers ! Et tous se rendent sur le terrain de combat du centre de soins. Cornélia et Cornélius activent la Méga-Évolution de leur Lucario respectif... et le duel commence !

— Méga-Lucario 1 contre Méga-Lucario 2 : quel défi ! s'exclame Sacha.

Le combat est exceptionnel, en effet. Le Méga-Lucario de Cornélius maîtrise parfaitement son Aura. Il utilise Aurasphère et, malgré son opiniâtreté, le Méga-Lucario de Cornélia ne peut résister face à une telle expertise. Il s'écroule, mais se relève, l'œil brûlant d'un éclat inquiétant...

— Lucario, ne perds pas le contrôle ! supplie Cornélia.

Comme il n'écoute plus le moindre de ses ordres, le Pokémon Aura de Cornélius le met KO. À la fin du duel, les deux adversaires redeviennent de simples Lucario.

— On a encore besoin de s'exercer, constate Cornélia, déçue.

— Le problème vient de vous deux, déplore Cornélius. Vous êtes trop sûrs de vous connaître l'un l'autre, cela vous donne l'arrogance de négliger l'essentiel. Vous avez encore beaucoup à apprendre, avant de maîtriser les pouvoirs, aussi merveilleux que redoutables, de la Méga-Évolution.

— Mais, grand-père...

— Non ! En tant que Championne d'Arène de Yantreizh, tu n'as pas le droit à l'erreur, ma chérie. Je te demande donc de continuer l'entraînement.

Je connais un Dresseur fantastique, qui me guide depuis mes jeunes années. Il habite la Montagne du Zeste. Il saura t'enseigner l'intérêt véritable de la Méga-Évolution.

Cornélia fixe ses pieds, contrariée. Sacha essaie de la réconforter.

— Vois le bon côté des choses ! Primo : après ta formation, tu seras une super Championne d'Arène. Deuxio : Lem, Clem, Serena

56

et moi, on meurt d'envie de t'accompagner... Alors, qu'est-ce que tu en dis ?

— J'en dis qu'ensemble on a des tas de secrets à découvrir, et que c'est une chance sensationnelle de relever de nouveaux défis ! répond la Dresseuse, soudain impatiente d'entreprendre son fabuleux voyage pour la Montagne du Zeste !

Fin

Lucario

Types :

Combat

Acier

Catégorie :

Pokémon Aura

Forme évoluée de Riolu, ce Pokémon ressemble un peu à un loup, muni d'une pointe sur le dos de chaque main. C'est un adversaire redoutable, car il est capable d'analyser l'Aura de ses adversaires, et ainsi de lire leurs pensées ou d'anticiper leurs attaques !

Le voyage de Sacha
est loin d'être terminé !
Retrouve le Dresseur
dans le prochain tome :

Le héros
de la forêt

Sacha et ses amis croisent Brutalibré,
un Pokémon hors du commun :
il s'est donné pour mission de défendre
les Pokémon de la forêt.
Il n'hésite jamais à combattre
pour protéger les plus faibles !
Pourtant, cette fois, le Pokémon Catcheur
pourrait bien avoir besoin d'un peu d'aide...

Pour en savoir plus, fonce sur le site
www.bibliotheque-verte.com

Tu as toujours rêvé de devenir
un Dresseur Pokémon ?
Tu as de la chance :
grâce à cette nouvelle histoire,
tu vas pouvoir faire tes preuves.
Tu es prêt ? Cette fois-ci
c'est à *ton tour* de tous les attraper !

As-tu déjà lu les premières histoires de Sacha et Pikachu ?

Le problème de Pikachu

Un mystérieux Pokémon

Le combat de Sacha

La capture de Vipélierre

Le secret des Darumarond

Un fabuleux défi

La revanche de Gruikui

Le huitième Badge

Le pouvoir de Meloetta

La Ligue d'Unys

Le réveil de Reshiram

Le tournoi Pokémon Sumo

Aventures à Kalos

La Championne de Neuvartault

Mystère à Illumis

Le Château de Combat

L'Arène du Grand-Duc

TABLE

PAPIER À BASE DE
FIBRES CERTIFIÉES

hachette s'engage pour
l'environnement en réduisant
l'empreinte carbone de ses livres.
Celle de cet exemplaire est de :
250 g éq. CO$_2$
Rendez-vous sur
www.hachette-durable.fr

Photogravure Nord Compo - Villeneuve-d'Ascq
Imprimé en Espagne par CAYFOSA
Dépôt légal : mars 2015
Achevé d'imprimer : octobre 2016
82.0008.5/03 – ISBN 978-2-01-401858-5
Loi n° 49956 du 16 juillet 1949
sur les publications destinées à la jeunesse